Histoire de Blondine

© Circonflexe, 1994, pour la présente édition
ISBN 2-87833-118-4
Imprimé en Italie
Dépôt légal : mars 1994
Loi n° 49-956 du 16 juillet 1949
sur les publications destinées à la jeunesse

UN ECRIVAIN, UN PEINTRE

Comtesse de Ségur

Histoire de Blondine

2

illustré avec les tableaux de

Fragonard

Iconographie Tiphaine Samoyault

circonflexe

Il y avait près de six mois que Blondine s'était réveillée de son sommeil de sept années ; le temps lui semblait long ; le souvenir de son père lui revenait souvent et l'attristait. Bonne-Biche et Beau-Minon semblaient deviner ses pensées. Beau-Minon miaulait plaintivement, Bonne-Biche soupirait profondément. Blondine parlait rarement de ce qui occupait si souvent son esprit, parce qu'elle craignait d'offenser Bonne-Biche, qui lui avait répondu trois au quatre fois : « Vous reverrez votre père, Blondine, quand vous aurez quinze ans, si vous continuez à être sage ; mais, croyez-moi, ne vous occupez pas de l'avenir, et surtout ne cherchez pas à nous quitter. »

Un matin, Blondine était triste et seule ; elle réfléchissait à sa singulière et monotone existence. Elle fut distraite de sa rêverie par trois petits coups frappés doucement à sa fenêtre. Levant la tête, elle aperçut un Perroquet du plus beau vert, avec la gorge et la poitrine orange. Surprise de l'apparition d'un être inconnu et nouveau, elle alla ouvrir sa fenêtre et fit entrer le Perroquet. Quel ne fut pas son étonnement quand l'oiseau lui dit d'une voix aigrelette :

« Bonjour, Blondine : je sais que vous vous ennuyez quelquefois, faute de trouver à qui parler, et je viens causer avec vous. Mais, de grâce, ne dites pas que vous m'avez vu, car Bonne-Biche me tordrait le cou.

— Et pourquoi cela, beau Perroquet ? Bonne-Biche ne fait de mal à personne : elle ne hait que les méchants.

— Blondine, si vous ne me promettez pas de cacher ma visite à Bonne-Biche et à Beau-Minon, je m'envole pour ne jamais revenir.

— Puisque vous le voulez, beau Perroquet, je vous le promets. Causons un peu : il y a si longtemps que je n'ai causé ! Vous me semblez gai et spirituel ; vous m'amuserez, je n'en doute pas. »

Blondine écouta les contes du Perroquet, qui lui fit force compliments sur sa beauté, sur ses talents, sur son esprit. Blondine était enchantée ; au bout d'une heure, le Perroquet s'envola, promettant de revenir le lendemain. Il revint ainsi pendant plusieurs jours et continua à la complimenter et à l'amuser. Un matin il frappa à la fenêtre en disant :

« Blondine, Blondine, ouvrez-moi, je viens vous donner des nouvelles de votre père ; mais surtout pas de bruit, si vous ne voulez pas me voir tordre le cou. »

Blondine ouvrit sa croisée et dit au Perroquet :

« Est-il bien vrai, mon beau Perroquet, que tu veux me donner des nouvelles de mon père ? Parle vite : que fait-il ? comment va-t-il ?

— Votre père va bien, Blondine ; il pleure toujours votre absence ; je lui ai promis d'employer tout mon petit pouvoir à vous délivrer de votre prison ; mais je ne puis le faire que si vous m'y aidez.

— Ma prison ! dit Blondine. Mais vous ignorez donc toutes les bontés de Bonne-Biche et de Beau-Minon pour moi, les soins qu'ils ont donnés à mon éducation, leur tendresse pour moi ! Ils seront enchantés de connaître un moyen de me réunir à mon père. Venez avec moi, beau Perroquet, je vous en prie, je vous présenterai à Bonne-Biche.

— Ah ! Blondine, reprit de sa petite voix aigre le Perroquet, vous ne connaissez pas Bonne-Biche, ni Beau-Minon. Ils me détestent parce que j'ai réussi quelquefois à leur arracher leurs victimes. Jamais vous ne verrez votre père, Blondine, jamais vous ne sortirez de cette forêt, si vous n'enlevez pas vous-même le talisman qui vous y retient.

— Quel talisman ? dit Blondine : je n'en connais aucun ; et quel intérêt Bonne-Biche et

Quant au talisman, c'est une simple Rose.　　　I

Beau-Minon auraient-ils à me retenir prisonnière ?

— L'intérêt de désennuyer leur solitude, Blondine. Et quant au talisman, c'est une simple Rose ; cueillie par vous, elle vous délivrera de votre exil et vous ramènera dans les bras de votre père.

— Mais il n'y a pas une seule Rose dans le jardin, comment donc pourrais-je en cueillir ?

— Je vous dirai cela un autre jour, Blondine ; aujourd'hui je ne puis vous en dire davantage, car Bonne-Biche va venir ; mais pour vous assurer des vertus de la Rose, demandez-en une à Bonne-Biche ; vous verrez ce qu'elle vous dira. A demain, Blondine, à demain. »

Et le Perroquet s'envola, bien content d'avoir jeté dans le cœur de Blondine les premiers germes d'ingratitude et de désobéissance.

A peine le Perroquet fut-il parti, que Bonne-Biche entra ; elle paraissait agitée.

« Avec qui causiez-vous donc, Blondine ?
dit Bonne-Biche en jetant sur la croisée ouverte un regard méfiant.

— Avec personne, Madame, répondit
Blondine.

— Je suis certaine d'avoir entendu parler.

— Je me serai sans doute parlé à moi-
même. »

Bonne-Biche ne répliqua pas ; elle était triste, quelques larmes même roulaient dans ses
yeux. Blondine était aussi préoccupée ; les
paroles du Perroquet lui faisaient envisager
sous un jour nouveau les obligations qu'elle
avait à Bonne-Biche et à Beau-Minon. Au lieu
de se dire qu'une biche qui parle, qui a la
puissance de rendre intelligentes les bêtes, de
faire dormir un enfant pendant sept ans,
qu'une biche qui a consacré ces sept années à
l'éducation ennuyeuse d'une petite fille igno-
rante, qu'une biche qui est logée et servie
comme une reine n'est pas une biche ordinai-
re ; au lieu d'éprouver de la reconnaissance de
tout ce que Bonne-Biche avait fait pour elle,

Blondine crut aveuglément ce Perroquet, cet inconnu dont rien ne garantissait la véracité, et qui n'avait aucun motif de lui porter intérêt au point de risquer sa vie pour lui rendre service ; elle le crut, parce qu'il l'avait flattée. Elle ne regarda plus du même œil reconnaissant l'existence douce et heureuse que lui avaient faite Bonne-Biche et Beau-Minon : elle résolut de suivre les conseils du Perroquet.

« Pourquoi, Bonne-Biche, lui demanda-t-elle dans la journée, pourquoi ne vois-je pas parmi toutes vos fleurs la plus belle, la plus charmante de toutes, la Rose ? »

Bonne-Biche frémit, se troubla et dit :

« Blondine, Blondine, ne me demandez pas cette fleur perfide qui pique ceux qui la touchent. Ne me parlez jamais de la Rose, Blondine ; vous ne savez pas ce qui vous menace dans cette fleur. »

L'air de Bonne-Biche était si sévère, que Blondine n'osa pas insister. La journée s'acheva assez tristement. Blondine était gênée ; Bonne-Biche était mécontente ; Beau-Minon était triste.

Le lendemain Blondine courut à sa fenêtre ; à peine l'eut-elle ouverte que le Perroquet entra.

« Eh bien, Blondine, vous avez vu le trouble de Bonne-Biche quand vous avez parlé de la Rose ? Je vous ai promis de vous indiquer le moyen d'avoir une de ces fleurs charmantes ; le voici : vous sortirez du parc, vous irez dans la forêt, je vous accompagnerai, et je vous mènerai dans un jardin où se trouve la plus belle Rose du monde.

— Mais comment pourrai-je sortir du parc ? Beau-Minon m'accompagne toujours dans mes promenades.

— Tâchez de le renvoyer, dit le Perroquet ; et s'il insiste, eh bien, sortez malgré lui.

— Si cette Rose est bien loin, on s'apercevra de mon absence.

— Une heure de marche au plus. Bonne-Biche a eu soin de vous placer loin de la Rose, afin que vous ne puissiez pas vous affranchir de son joug.

— Mais pourquoi me retient-elle captive ? Puissante comme elle est, ne pouvait-elle se donner d'autres plaisirs que l'éducation d'un enfant ?

— Ceci vous sera expliqué plus tard, Blondine, quand vous serez retournée près de votre père. Soyez ferme ; débarrassez-vous de Beau-Minon après déjeuner, sortez dans la forêt ; je vais vous y attendre. »

Blondine promit et ferma la fenêtre, de crainte que Bonne-Biche ne la surprît.

Après le déjeuner, Blondine descendit dans le jardin selon sa coutume. Beau-Minon la suivit, malgré quelques rebuffades qu'il reçut avec des miaulements plaintifs. Parvenue à l'allée qui menait à la sortie du parc, Blondine voulut encore renvoyer Beau-Minon.

« Je veux être seule, dit-elle ; va-t'en, Beau-Minon. »

Beau-Minon fit semblant de ne pas comprendre. Blondine, impatientée, s'oublia au point de frapper Beau-Minon du pied.

Quand le pauvre Beau-Minon eut reçu le coup de pied de Blondine, il poussa un cri lugubre et s'enfuit du côté du palais.

Blondine frémit en entendant ce cri ; elle s'arrêta, fut sur le point de rappeler Beau-Minon, de renoncer à la Rose, de tout raconter à Bonne-Biche ; mais une fausse honte l'arrêta, elle marcha vers la porte, l'ouvrit non sans trembler, et se trouva dans la forêt.

Le Perroquet ne tarda pas à la rejoindre.

« Courage, Blondine ! encore une heure et vous aurez la Rose, et vous reverrez votre père. »

Ces mots rendirent à Blondine la résolution qu'elle commençait à perdre ; elle marcha dans le sentier que lui indiquait le Perroquet en volant de branche en branche devant elle. La forêt, qu'elle avait crue si belle, près du parc de Bonne-Biche, devint de plus en plus difficile : les ronces et les pierres encombraient le sentier ; on n'entendait plus d'oiseaux ; les fleurs avaient disparu ; Blondine se sentit gagnée par un malaise inexplicable ; le Perroquet la pressait vivement d'avancer.

« Vite, vite, Blondine, le temps se passe ; si Bonne-Biche s'aperçoit de votre absence et vous poursuit, elle me tordra le cou et vous ne verrez jamais votre père. »

Blondine, fatiguée, haletante, les bras déchirés, les souliers en lambeaux, allait déclarer qu'elle renonçait à aller plus loin, lorsque le Perroquet s'écria :

« Nous voici arrivés, Blondine ; voici l'enclos où est la Rose. »

Et Blondine vit au détour du sentier un petit enclos, dont la porte lui fut ouverte par le Perroquet. Le terrain y était aride et pierreux : mais au milieu s'élevait majestueusement un magnifique rosier, avec une Rose plus belle que toutes les roses du monde.

« Prenez-la, Blondine, vous l'avez bien gagnée », dit le Perroquet.

Blondine saisit la branche, et, malgré les épines qui s'enfonçaient dans ses doigts, elle arracha la Rose.

A peine l'eut-elle dans sa main, qu'elle entendit un éclat de rire ; la Rose s'échappa de ses mains en lui criant :

Blondine était stupéfaite ; sa conduite lui apparut   II
dans toute son horreur.

« Merci, Blondine, de m'avoir délivrée de la prison où me retenait la puissance de Bonne-Biche. Je suis ton mauvais génie ; tu m'appartiens maintenant.

— Ha, ha, ha, reprit à son tour le Perroquet, merci, Blondine, je puis maintenant reprendre ma forme d'enchanteur ; j'ai eu moins de peine à te décider que je ne le croyais. En flattant ta vanité, je t'ai facilement rendue ingrate et méchante. Tu as causé la perte de tes amis dont je suis le mortel ennemi. Adieu, Blondine. »

En disant ces mots, le Perroquet et la Rose disparurent, laissant Blondine seule au milieu d'une épaisse forêt.

Blondine était stupéfaite ; sa conduite lui apparut dans toute son horreur : elle avait été ingrate envers des amis qui s'étaient dévoués à elle, qui avaient passé sept ans à soigner son éducation. Ces amis voudraient-ils la recevoir, lui pardonner ? Que deviendrait-elle si leur porte lui était fermée ? Et puis, que signifiaient les paroles du méchant Perroquet : «Tu as causé la perte de tes amis » ?

Elle voulut se remettre en route pour retourner chez Bonne-Biche et Beau-Minon.

Que devint-elle quand, à la place du magnifique palais, elle ne vit que des ruines ; quand, au lieu des fleurs et des beaux arbres qui l'entouraient, elle n'aperçut que des ronces, des chardons et des orties ? Terrifiée, désolée, elle voulut pénétrer dans les ruines pour savoir ce qu'étaient devenus ses amis. Un gros Crapaud sortit d'un tas de pierres, se mit devant elle et lui dit :

« Que cherches-tu ? N'as-tu pas causé, par ton ingratitude, la mort de tes amis ? Va-t'en ; n'insulte pas leur mémoire par ta présence.

— Ah ! s'écria Blondine, mes pauvres amis, Bonne-Biche, Beau-Minon, que ne puis-je expier par ma mort les malheurs que j'ai causés ! »

Et elle se laissa tomber, en sanglotant, sur les pierres et les chardons : l'excès de sa douleur l'empêcha de sentir les pointes aiguës des pierres et les piqûres des chardons. Elle pleura longtemps, longtemps ; enfin, elle se leva et regarda autour d'elle pour tâcher de découvrir un abri où elle pourrait se réfugier ; elle ne vit rien que des pierres et des ronces.

« Eh bien, dit-elle, qu'importe qu'une bête féroce me déchire ou que je meure de faim et de douleur, pourvu que j'expire ici sur le tombeau de Bonne-Biche et de Beau-Minon ? »

Comme elle finissait ces mots, elle entendit une voix qui disait : « Le repentir peut racheter bien des fautes. »

Elle leva la tête, et ne vit qu'un gros Corbeau noir qui voltigeait au-dessus d'elle.

« Hélas ! dit-elle, mon repentir, quelque amer qu'il soit, rendra-t-il la vie à Bonne-Biche et à Beau-Minon ?

— Courage, Blondine ! reprit la voix ; rachète ta faute par ton repentir ; ne te laisse pas abattre par la douleur. »

La pauvre Blondine se leva et s'éloigna de ce lieu de désolation : elle suivit un petit sentier qui la mena dans une partie de la forêt où

Elle aperçut une belle vache. III

les grands arbres avaient étouffé les ronces ; la terre était couverte de mousse. Blondine, qui était épuisée de fatigue et de chagrin, tomba au pied d'un de ces beaux arbres et recommença à sangloter.

« Courage, Blondine, espère ! » lui cria encore une voix.

Elle ne vit qu'une Grenouille qui était près d'elle et qui la regardait avec compassion.

« Pauvre Grenouille, dit Blondine, tu as l'air d'avoir pitié de ma douleur. Que deviendrai-je, mon Dieu ! à présent que me voilà seule au monde ?

— Courage et espérance ! » reprit la voix.

Blondine soupira ; elle regarda autour d'elle, tâcha de découvrir quelque fruit pour étancher sa soif et apaiser sa faim.

Elle ne vit rien et recommença de verser des larmes.

Un bruit de grelots la tira de ses douloureuses pensées ; elle aperçut une belle vache qui approchait doucement, et puis, étant arrivée près d'elle, s'arrêta, s'inclina et lui fit voir une écuelle pendue à son cou. Blondine, reconnaissante de ce secours inattendu, détacha l'écuelle, se mit à traire la vache, et but avec délices deux écuelles de son lait. La vache lui fit signe de remettre l'écuelle à son cou, ce que fit Blondine ; elle baisa la vache sur le cou et lui dit tristement :

« Merci, Blanchette ; c'est sans doute à mes pauvres amis que je dois ce secours charitable ; peut-être voient-ils d'un autre monde le repentir de leur pauvre Blondine, et veulent-ils adoucir son affreuse position.

— Le repentir fait bien pardonner des fautes, reprit la voix.

— Ah ! dit Blondine, quand je devrais passer des années à pleurer ma faute, je ne me la pardonnerais pas encore : je ne me la pardonnerai jamais. »

Cependant la nuit approchait. Malgré son chagrin, Blondine songea à ce qu'elle ferait pour éviter les bêtes féroces dont elle croyait déjà entendre les rugissements. Elle vit à quelques pas d'elle une espèce de cabane formée par plusieurs arbustes dont les branches étaient entrelacées ; elle y entra en se baissant un peu, et elle vit qu'en relevant et rattachant quelques branches elle s'y ferait une maison-nette très gentille ; elle employa ce qui restait de jour à arranger son petit réduit : elle y porta une quantité de mousse dont elle se fit un matelas et un oreiller ; elle cassa quelques branches qu'elle piqua en terre pour cacher l'entrée de sa cabane, et elle se coucha brisée de fatigue.

Elle s'éveilla au grand jour. Dans le premier moment elle eut peine à rassembler ses idées, à se rendre compte de sa position ; mais la triste vérité lui apparut promptement, et elle recommença les pleurs et les gémissements de la veille.

La faim se fit pourtant sentir. Blondine commença à s'inquiéter de sa nourriture, quand elle entendit les grelots de la vache. Quelques instants après, Blanchette était près d'elle. Comme la veille, Blondine détacha l'écuelle, tira du lait et en but tant qu'elle en voulut. Elle remit l'écuelle, baisa Blanchette et la vit partir avec l'espérance de la voir revenir dans la journée.

En effet, chaque jour, le matin, à midi et au soir, Blanchette venait présenter à Blondine son frugal repas.

Blondine passait son temps à pleurer ses pauvres amis, à se reprocher amèrement ses fautes.

« Par ma désobéissance, se disait-elle, j'ai causé de cruels malheurs qu'il n'est pas en mon pouvoir de réparer ; non seulement j'ai perdu mes bons et chers amis, mais je me suis privée du seul moyen de retrouver mon père, mon pauvre père qui attend peut-être sa Blondine, sa malheureuse Blondine, condamnée à vivre et à mourir seule dans cette affreuse forêt où règne mon mauvais génie ! »

Blondine cherchait à se distraire et à s'occuper par tous les moyens possibles ; elle avait arrangé sa cabane, s'était fait un lit de mousse et de feuilles ; elle avait relié ensemble des branches dont elle avait formé un siège ; elle avait utilisé quelques épines longues et fines pour en faire des épingles et des aiguilles ; elle s'était fabriqué une espèce de fil avec des brins de chanvre qu'elle avait cueillis près de sa cabane, et elle avait réussi à raccommoder les lambeaux de sa chaussure, que les ronces avaient mise en pièces. Elle vécut de la sorte pendant six semaines. Son chagrin était toujours le même, et il faut dire à sa louange que ce n'était pas sa vie triste et solitaire qui entretenait cette douleur, mais le regret sincère de sa faute : elle eût volontiers consenti à passer toute sa vie dans cette forêt, si par là elle avait pu racheter la vie de Bonne-Biche et de Beau-Minon.

Un jour qu'elle était assise à l'entrée de sa cabane, rêvant tristement comme de coutume à ses amis, à son père, elle vit devant elle une énorme Tortue.

« Blondine, lui dit la Tortue d'une vieille voix éraillée, Blondine, si tu veux te mettre sous ma garde, je te ferai sortir de cette forêt.

— Et pourquoi, Madame la Tortue, cher-
cherais-je à sortir de la forêt ? C'est ici que j'ai
causé la mort de mes amis, et c'est ici que je
veux mourir.

— Es-tu bien certaine de leur mort,
Blondine ?

— Comment ! il se pourrait !... Mais non,
j'ai vu leur château en ruine ; le Perroquet et
le Crapaud m'ont dit qu'ils n'existaient plus ;
vous voulez me consoler par bonté sans
doute ; mais, hélas ! je ne puis espérer les
revoir. S'ils vivaient, m'auraient-ils laissée
seule, avec le désespoir affreux d'avoir causé
leur mort ?

— Qui te dit, Blondine, que cet abandon
n'est pas forcé, qu'eux-mêmes ne sont pas
assujettis à un pouvoir plus grand que le
leur ? Tu sais, Blondine, que le repentir rachète bien des fautes.

— Ah ! Madame la Tortue, si vraiment ils
existent encore, si vous pouvez me donner de
leurs nouvelles, dites-moi que je n'ai pas leur
mort à me reprocher, dites-moi que je les

reverrai un jour ! Il n'est pas d'expiation que je n'accepte pour mériter ce bonheur.

— Blondine, il ne m'est pas permis de te dire le sort de tes amis ; mais si tu as le courage de monter sur mon dos, de ne pas en descendre pendant six mois et de ne pas m'adresser une question jusqu'au terme de notre voyage, je te mènerai dans un endroit où tout te sera révélé.

— Je promets tout ce que vous voulez, Madame la Tortue, pourvu que je sache ce que sont devenus mes chers amis.

— Prends garde, Blondine : six mois sans descendre de dessus mon dos, sans m'adresser une parole ! Une fois que nous serons parties, si tu n'as pas le courage d'aller jusqu'au bout, tu resteras éternellement au pouvoir de l'enchanteur Perroquet et de sa sœur la Rose, et je ne pourrai même plus te continuer les petits secours auxquels tu dois la vie pendant six semaines.

— Partons, Madame la Tortue, partons sur-le-champ, j'aime mieux mourir de fatigue et

Elle fut trois mois avant de sortir de la forêt.   IV

d'ennui que de chagrin et d'inquiétude ; depuis que vos paroles ont fait naître l'espoir dans mon cœur, je me sens du courage pour entreprendre un voyage bien plus difficile que celui dont vous me parlez.

— Qu'il soit fait selon tes désirs, Blondine ; monte sur mon dos et ne crains ni la faim, ni la soif, ni le sommeil, ni aucun accident pendant notre long voyage ; tant qu'il durera, tu n'auras aucun de ces inconvénients à redouter. »

Blondine monta sur le dos de la Tortue.

« Maintenant, silence ! dit celle-ci ; pas un mot avant que nous soyons arrivées et que je te parle la première. »

Le voyage de Blondine dura, comme le lui avait dit la Tortue, six mois ; elle fut trois mois avant de sortir de la forêt ; elle se trouva alors dans une plaine aride qu'elle traversa pendant six semaines, et au bout de laquelle elle aperçut un château qui lui rappela celui de Bonne-Biche et de Beau-Minon. Elles furent un grand mois avant d'arriver à l'avenue de ce château ; Blondine grillait d'impatience. Était-ce le château où elle devait connaître le sort de ses amis ? Elle n'osait le demander malgré le désir extrême qu'elle en avait. Si elle avait pu descendre du dos de la Tortue, elle eût franchi en dix minutes l'espace qui la séparait du château ; mais la Tortue marchait toujours, et Blondine se souvenait qu'on lui avait défendu de dire une parole ni de descendre. Elle se résigna donc à attendre, malgré son extrême impatience. La Tortue semblait ralentir sa marche au lieu de la hâter ; elle mit encore quinze jours, qui semblèrent à Blondine quinze siècles, à parcourir cette avenue. Blondine ne perdait pas de vue ce château et cette porte ; le château paraissait désert ; aucun bruit, aucun mouvement ne s'y faisait sentir. Enfin, après cent quatre-vingts jours de voyage, la Tortue s'arrêta et dit à Blondine :

« Maintenant, Blondine, descendez ; vous avez gagné par votre courage et votre obéissance la récompense que je vous avais promise ; entrez dans la petite porte qui est devant vous ; demandez à la première personne que vous rencontrerez la fée Bienveillante : c'est elle qui vous instruira du sort de vos amis. »

Bondine sauta lestement à terre ; elle craignait qu'une si longue immobilité n'eût raidi ses jambes, mais elle se sentit légère comme au temps où elle vivait heureuse chez Bonne-Biche et Beau-Minon et où elle courait des heures entières, cueillant des fleurs et poursuivant des papillons. Après avoir remercié avec effusion la Tortue, elle ouvrit précipitamment la porte qui lui avait été indiquée, et se trouva en face d'une jeune personne vêtue de blanc, qui lui demanda d'une voix douce qui elle désirait voir.

« Je voudrais voir la fée Bienveillante, répondit Blondine ; dites-lui, Mademoiselle,

*Une dame belle et jeune encore, magnifiquement
vêtue, entra et s'approcha de Blondine.*

V

que la princesse Blondine la prie instamment de la recevoir.

— Suivez-moi, princesse », reprit la jeune personne.

Blondine la suivit en tremblant ; elle traversa plusieurs beaux salons, rencontra plusieurs jeunes personnes vêtues comme celle qui la précédait et qui la regardaient en souriant et d'un air de connaissance ; elle arriva enfin dans un salon semblable en tous points à celui qu'avait Bonne-Biche dans la forêt des Lilas.

Ce souvenir la frappa si douloureusement qu'elle ne s'aperçut pas de la disparition de la jeune personne blanche ; elle examinait avec tristesse l'ameublement du salon ; elle n'y remarqua qu'un seul meuble que n'avait pas Bonne-Biche dans la forêt des Lilas ; c'était une grande armoire en or et en ivoire d'un travail exquis ; cette armoire était fermée. Blondine se sentit attirée vers elle par un sentiment indéfinissable, elle la contemplait sans en pouvoir détourner les yeux, lorsqu'une

porte s'ouvrit : une dame belle et jeune encore, magnifiquement vêtue, entra et s'approcha
de Blondine.

« Que me voulez-vous, mon enfant ? lui
dit-elle d'une voix douce et caressante.

— Oh ! Madame, s'écria Blondine en se
jetant à ses pieds, on m'a dit que vous pou-
viez me donner des nouvelles de mes chers et
excellents amis Bonne-Biche et Beau-Minon.
Vous savez sans doute, Madame, par quelle
coupable désobéissance je les ai perdus ; longtemps je les ai pleurés, les croyant morts :
mais la Tortue qui m'a amenée jusqu'ici m'a
donné l'espérance de les retrouver un jour.
Dites-moi, Madame, dites-moi s'ils vivent et
ce que je dois faire pour mériter le bonheur de
les revoir.

— Blondine, dit la fée Bienveillante avec
tristesse, vous allez connaître le sort de vos
amis ; mais, quoi que vous voyiez, ne perdez
pas courage ni espérance. »

En disant ces mots, elle releva la tremblante Blondine, et la conduisit devant l'armoire
qui avait déjà frappé ses yeux.

« Voici, Blondine, la clef de cette armoire, ouvrez-la vous-même et conservez votre courage. »

Elle remit à Blondine une clef d'or.

Blondine ouvrit l'armoire d'une main tremblante... Que devint-elle quand elle vit dans cette armoire les peaux de Bonne-Biche et de Beau-Minon, attachées avec des clous de diamant ? A cette vue, la malheureuse Blondine poussa un cri déchirant et tomba évanouie dans les bras de la fée.

La porte s'ouvrit encore une fois, et un prince beau comme le jour se précipita vers Blondine en disant :

« Oh ! ma mère, l'épreuve est trop forte pour notre chère Blondine.

— Hélas ! mon fils, mon cœur saigne pour elle ; mais tu sais que cette dernière punition était indispensable pour la délivrer à jamais du joug cruel du génie de la forêt des Lilas. »

En disant ces mots, la fée Bienveillante toucha Blondine de sa baguette. Blondine revint immédiatement à elle ; mais, désolée, sanglotante, elle s'écria :

La porte s'ouvrit encore une fois, et un prince beau VI
comme le jour se précipita vers Blondine.

« Laissez-moi mourir, la vie m'est odieuse ;
plus d'espoir, plus de bonheur pour la pauvre
Blondine ; mes amis, mes chers amis, je vous
rejoindrai bientôt.

— Blondine, chère Blondine, dit la fée en la
serrant dans ses bras, tes amis vivent et t'ai-
ment, je suis Bonne-Biche et voici mon fils
Beau-Minon. Le méchant génie de la forêt des
Lilas, profitant d'une négligence de mon fils,
était parvenu à s'emparer de nous et à nous
donner les formes sous lesquelles vous nous
avez connus ; nous ne devions reprendre nos
formes premières que si vous enleviez la Rose
que je savais être votre mauvais génie et que
je retenais captive. Je l'avais placée aussi loin
que possible de mon palais, afin de la sous-
traire à vos regards ; je savais les malheurs
auxquels vous vous exposiez en délivrant
votre mauvais génie de sa prison, et le ciel
m'est témoin que mon fils et moi nous eus-
sions volontiers resté toute notre vie Bonne-
Biche et Beau-Minon à vos yeux, pour vous
épargner les cruelles douleurs par lesquelles

vous avez passé. Le Perroquet est parvenu jusqu'à vous malgré nos soins ; vous savez le reste, ma chère enfant ; mais ce que vous ne savez pas, c'est tout ce que nous avons souffert de vos larmes et de votre isolement. »

Blondine ne se lassait pas d'embrasser la fée, de la remercier, ainsi que le prince ; elle leur adressait mille questions :

« Que sont devenues, dit-elle, les gazelles qui nous servaient ?

— Vous les avez vues, chère Blondine : ce sont les jeunes personnes qui vous ont accompagnée jusqu'ici ; elles avaient, comme nous, subi cette triste métamorphose.

— Et la bonne vache qui m'apportait du lait tous les jours ?

— C'est nous qui avons obtenu de la reine des fées de vous envoyer ce léger adoucissement ; les paroles encourageantes du Corbeau, c'est encore de nous qu'elles venaient.

— C'est donc vous, Madame, qui m'avez aussi envoyé la Tortue ?

Il y eut huit jours de fêtes pour le retour de Blondine. VII

— Oui, Blondine ; la reine des fées, touchée de votre douleur, retira au génie de la forêt tout pouvoir sur vous, à la condition d'obtenir de vous une dernière preuve de soumission en vous obligeant à ce voyage si long et si ennuyeux, et de vous infliger une dernière punition en vous faisant croire à la mort de mon fils et à la mienne. J'ai prié, supplié la reine des fées de vous épargner au moins cette dernière douleur, mais elle a été inflexible. »

Blondine ne se lassait pas d'écouter, de regarder, d'embrasser ses amis perdus depuis si longtemps, qu'elle avait cru ne jamais revoir. Le souvenir de son père se présenta à son esprit. Le prince Parfait devina le désir de Blondine et en fit part à la fée.

« Préparez-vous, chère Blondine, à revoir votre père ; prévenu par moi, il vous attend. »

Au même moment, Blondine se trouva dans un char de perles et d'or ; à sa droite était la fée ; à ses pieds était le prince Parfait, qui la regardait avec bonheur et tendresse ; le char était traîné par quatre cygnes d'une blancheur éblouissante ; ils volèrent avec une telle rapidité qu'il ne leur fallut que cinq minutes pour arriver au palais du roi Bénin.

Toute la cour du roi était assemblée près de lui : on attendait Blondine ; lorsque le char parut, ce furent des cris de joie tellement étourdissants, que les cygnes faillirent en perdre la tête et se tromper de chemin. Le prince, qui les menait, rappela heureusement leur attention, et le char s'abattit au pied du grand escalier.

Le roi Bénin s'élança vers Blondine, qui, sautant à terre, se jeta dans ses bras. Ils restèrent longtemps embrassés. Tout le monde pleurait, mais c'était de joie.

Quand le roi se fut un peu remis, il baisa tendrement la main de la fée, qui lui rendait Blondine après l'avoir élevée et protégée. Il embrassa le prince Parfait, qu'il trouva charmant.

Il y eut huit jours de fêtes pour le retour de Blondine ; au bout de ces huit jours, la fée voulut retourner chez elle ; le prince Parfait et Blondine étaient si tristes de se séparer que le roi convint avec la fée qu'ils ne se quitteraient plus ; le roi épousa la fée, et Blondine épousa le prince Parfait, qui fut toujours pour elle le Beau-Minon de la forêt des Lilas.

Brunette, ayant fini par se corriger, vint souvent voir Blondine.

Le prince Violent, son mari, devint plus doux à mesure que Brunette devenait meilleure, et ils furent assez heureux.

Quant à Blondine, elle n'eut jamais un instant de chagrin ; elle donna le jour à des filles qui lui ressemblèrent, à des fils qui ressemblèrent au prince Parfait. Tout le monde les aimait, et autour d'eux tout le monde fut heureux.

Sophie de SEGUR
(1799-1874)

Connue sous le nom de Comtesse de Ségur, Sophie de Ségur, d'origine russe, portait le prénom de celle qui deviendra sa plus célèbre héroïne, Sophie. Déjà plusieurs fois grand-mère, elle se décida soudain à écrire, pour amuser ses petits-enfants en racontant des histoires dont ils auraient pu être les personnages principaux. *Les Mémoires d'un âne, Les Malheurs de Sophie, Les Petites filles modèles* ou *Le Général Dourakine* sont parmi ses plus célèbres. Elle écrivit aussi des contes de fées inspirés des petites histoires qu'elle avait entendues, enfant, avant de s'endormir et qu'elle voulait raconter à son tour. L'Histoire de Blondine, de Bonne-Biche et de Beau-Minon est l'un de ses contes où, derrière l'apparente naïveté d'une féerie, s'expriment l'amour de l'auteur pour les enfants et son désir d'instruire en distrayant.

Jean-Honoré FRAGONARD
(1732-1806)

Ses professeurs de peinture furent les deux grands maîtres Chardin et Boucher. Frago, comme on avait pris l'habitude de l'appeler et ainsi qu'il signait lui-même souvent ses tableaux, devint vite à son tour un peintre connu et recherché. Ses nombreuses scènes de jardins en fêtes et d'amoureux joyeux étaient appréciées de tous les amateurs du temps. Ses peintures ont servi de décoration intérieure à de nombreux châteaux, dont les habitants préféraient les réjouissantes atmosphères aux austères tapisseries accrochées aux murs depuis des siècles. Les dominantes rose et verte de son univers font de Fragonard le peintre de la tendresse et des idylles joyeuses. Il aimait aussi à représenter des enfants, et l'innocente Blondine de la Comtesse de Ségur semble issue de ce monde.

Crédits photographiques

I. *L'amant couronné,* détail, New York, Frick Collection, Edimedia.

II. *Jeune fille se détournant,* dit aussi *La Résistance,* Amiens, Musée de Picardie, Lauros-Giraudon.

III. *Le Taureau blanc à l'étable,* détail, Paris, Musée du Louvre, © R.M.N.

IV. *Les Cascatelles de Tivoli,* détail, Paris, Musée du Louvre, © R.M.N.

V. et Couverture : *L'Etude,* Paris, Musée du Louvre, © R.M.N.

VI. *Portrait d'un jeune artiste,* Paris, Musée du Louvre, © R.M.N.

VII. *La Fête à Saint-Cloud,* Paris, Banque de France, © R.M.N.